Sami et Julie à Londres

Emmanuelle Massonaud

hachette
ÉDUCATION

Couverture : Mélissa Chalot
Réalisation de la couverture : Sylvie Fecamp
Maquette intérieure : Mélissa Chalot
Mise en pages : Typo-Virgule
Illustrations : Thérèse Bonté
Édition : Ludivine Boulicaut

ISBN : 978-2-01-707614-8

Achevé d'imprimer en Août 2020 en Espagne par Unigraf
Dépôt légal : Février 2019 - Édition 06- 72/0715/7

Les personnages de l'histoire

Papa a une grande nouvelle :

– Pour les prochaines vacances, nous irons passer quelques jours à Londres !

– Chouette ! s'écrie Sami, le pays d'Harry Potter !

– Mais… on ne parle pas anglais ! s'inquiète Julie.

– Tu oublies que Maman parle anglais presque aussi bien que la reine d'Angleterre, rétorque Papa.

Enfin, les vacances sont arrivées !
C'est le jour du départ pour Londres.
Toute la famille prend place à bord de l'Eurostar.
Quand le train entre dans le tunnel sous la Manche, Julie n'est pas rassurée.

– Le train roule vraiment sous la mer ?

– Eh oui ! répond Maman. Regarde le schéma, le tunnel se situe en dessous du niveau de la mer. Mais rassure-toi, c'est un très long tunnel extrêmement solide.

– *Welcome to London !** s'exclame Maman en arrivant.
Sami n'a qu'une idée en tête : trouver le quai d'Harry Potter, qui mène à l'école des apprentis sorciers.
– C'est là ! s'écrie Julie. Il y a un chariot dans le mur.
Sami et Julie se font photographier avec le chariot.
– Poudlard, nous voilà ! s'exclame Sami, enchanté !

* Bienvenue à Londres !

PLATFORM 9 3/4

Le lendemain matin, avant de partir à la découverte de Londres, Maman commande un solide petit déjeuner.

– Prenons un véritable *english breakfast !** propose Papa.

Et voici qu'arrivent toasts, œufs, tomates, champignons, bacon, saucisses, haricots sauce tomate… Sami et Julie n'en croient pas leurs yeux.

– Des saucisses et des haricots au petit déjeuner ? Ça, c'est bizarre ! s'exclame Julie.

* Petit déjeuner anglais ! ** Merci !

Thank you !**

Maman a tout organisé. On va se promener le long de la Tamise.

– On ne marche pas trop ! supplie Sami.

– Promis, répond Maman.

On ne marche pas, mais on court pour attraper le bus. Vite, vite ! Les voilà grimpés au premier étage d'un bus à impériale qui ressemble à un camion de pompiers.

– Venez devant, c'est super, s'écrie Sami. On voit tout !

UNDERGROUND
SOON
10

– Il y a un truc bizarre, remarque Sami. Ils ne conduisent pas comme nous.

– Tu as raison, répond Papa, regarde : ils ont leur volant à droite et ils conduisent à gauche.

– Mais comment aurais-tu fait en voiture ?

– J'aurais roulé à gauche comme eux, explique Papa.

– Avec un volant à gauche ! Ça aussi, c'est bizarre, insiste Sami.

TEA

Le bus longe le palais de Westminster, *the Houses of Parliament** et Big Ben.

– Ce bâtiment abrite les députés qui font les lois, explique Papa.

– Et voici Big Ben, réplique Maman, c'est la plus célèbre horloge du monde.

– Tom m'a dit qu'on entendait les cloches de Big Ben au moins à six kilomètres ! s'exclame Sami.

* Chambres du Parlement

À Londres, Julie veut absolument visiter le musée de Madame Tussaud qui expose les statues en cire des plus grandes célébrités. Sami ne sait plus où donner de la tête, tous ses héros préférés sont là : Spider-Man, Chewbacca, Dark Vador… et même Ronaldo !

Julie veut se faire photographier avec la famille royale, à côté de Kate.

– Léna ne va pas en revenir ! songe Julie.

La famille admire Buckingham Palace, le palais de la reine.

– Oh, là, là ! c'est immense, s'exclame Julie.

– Tu as vu ces statues de gardes ? interroge Sami.

– Ce ne sont pas des statues ! répond Julie.

– Voilà une heure qu'on les regarde, et ils n'ont pas bougé d'un millimètre.

Sami se met à grimacer pour essayer de faire rire un garde.

Soudain, une musique militaire retentit et des régiments de gardes à pied accompagnés de cavaliers se dirigent vers le palais. La foule se presse pour les admirer.

– C'est la relève de la garde, explique Papa.

– Ils ne doivent rien voir avec tous ces poils devant les yeux, s’interroge Sami.

Sami et Julie sont très impressionnés par les grands chevaux, tous ces soldats en uniforme et la fanfare.

– Ouah ! c’est trop beau, s’exclame Julie.

La famille a réservé un billet pour un tour de grande roue.
– Dans le *London Eye*, vous allez admirer Londres à perte de vue, promet Papa.
Il fait presque nuit, et soudain, une à une, toutes les lumières de la ville s'allument.
Quel spectacle féerique !
– Regardez, on voit Buckingham Palace ! observe Julie.
– On va peut-être voir la reine ! s'exclame Sami.

Tout le monde est fatigué après une longue journée de visites.

Sami commence à râler :

– Tu avais promis de ne pas trop marcher… et j'ai faim !

– Bonne idée, s'exclame Maman, allons manger un *fish and chips** !

– Un quoi ? répond Julie.

– C'est du poisson, explique Maman.

Sami et Julie font la grimace.

* Poisson et frites

PUB
FISH
&
CHIPS
LONDON
HARRY
PUB

La famille s’installe pour manger. Maman commande quatre *fish and chips*.

Les plats arrivent. Sami et Julie sont surpris :

– C’est ça, le poisson ?

– Eh oui, répond Papa en croquant une frite, bon appétit !

– Du poisson comme ça,
j’en mangerais tous les jours,
s’exclame Sami.

– Alors, vous ne dites plus que c’est bizarre ? taquine Maman.

– J’adore Londres ! conclut Julie.

FISH
CHIPS

As-tu bien compris l'histoire ?
1
Quel train prend la famille pour aller à Londres ?
eurostar
2
Quelle célèbre horloge ont vue Sami et Julie ?
3
Qui est la célébrité avec qui Julie est photographiée ?
4
Où vit la reine d'Angleterre ?
5
Que mange la famille après les visites ?

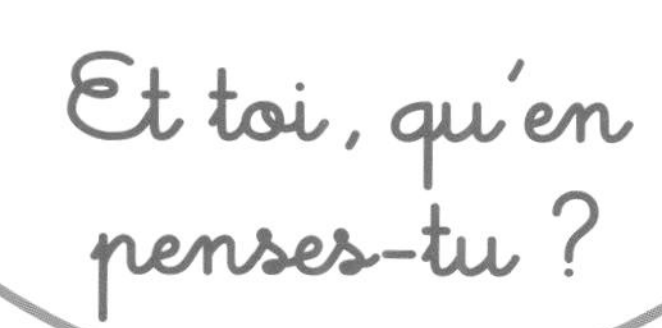

Et toi, qu'en penses-tu ?

Es-tu déjà allé(e) à Londres ?

Connais-tu des mots en anglais ?

Hello

T'intéresses-tu à la famille royale ?

As-tu déjà lu ou vu *Harry Potter* ?

As-tu déjà mangé des plats anglais (*fish and chips, breakfast...*) ?

As-tu lu tous les Sami et Julie ?

Début de CP

Milieu de CP

Fin de CP

hachette
ÉDUCATION